EGMONT

We bring stories to life

Original English language Edition published in Great Britain 2017
by Egmont UK Limited
The Yellow Building, 1 Nicholas Road London W11 4AN

Written by Stephanie Milton
Illustrations by Joe McLaren
Design and colour by John Stuckey
Production by Christine Campbell
Special thanks to Lydia Winters, Owen Jones,
Martin Johansson and Marsh Davies.

MOJANG

Korean language translation ©2018 by Youngjin.com Inc.
This edition is published by arrangement with Egmont UK Limited,
through Kids Mind Agency, Korea

이 책의 한국어판 저작권은 키즈마인드 에이전시를 통해 Egmont UK Limited와 독점 계약한
㈜영진닷컴에 있습니다.

발행인 김길수
발행처 (주)영진닷컴
주 소 서울특별시 금천구 가산디지털2로 123 월드메르디앙벤처센터 2차 10층 1016호
등 록 2007. 4. 27. 제16-4189호

모험을 시작할 때는 장비를 제대로
갖추는 것이 무엇보다 중요합니다.
여러분은 무엇을 입을 건가요?

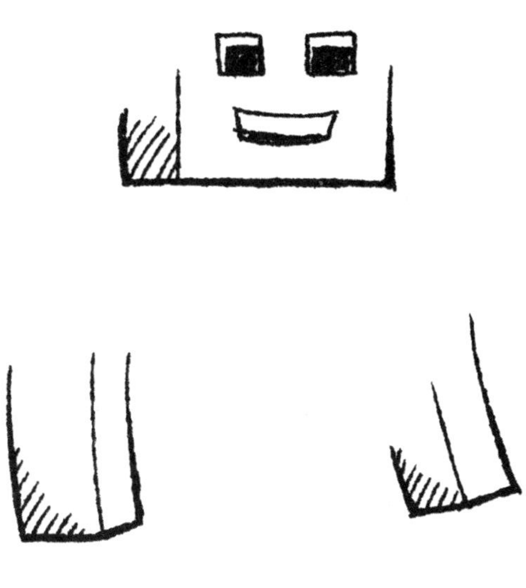

2

그 외에 보관함에서
어떤 것들을 가져갈 건가요?

이 늑대들은 적대적인 몹을
쫓고 있는 중입니다.
어떤 몹이라고 생각되나요?

적들을 물리치기 위해 여러분은
우호적인 모험가 집단에 합류했습니다.
이 말썽꾼들에게 이기기 위해서는
필살기가 필요합니다.

적대적인 몹들로부터 여러분의 영역을 지키고 싶다면 방어를 위한 몇가지 요소들이 필요합니다.

이 액자를 통해

여러분이 좋아하는 아이템들을

전시할 수 있습니다.

어떻게 하면 책장을 이용해
마법 부여대를 보다 효과적으로
만들 수 있을까요?

블레이즈를 물리치고
블레이즈 막대를 얻기 위해서는
영리한 전술이 필요합니다.

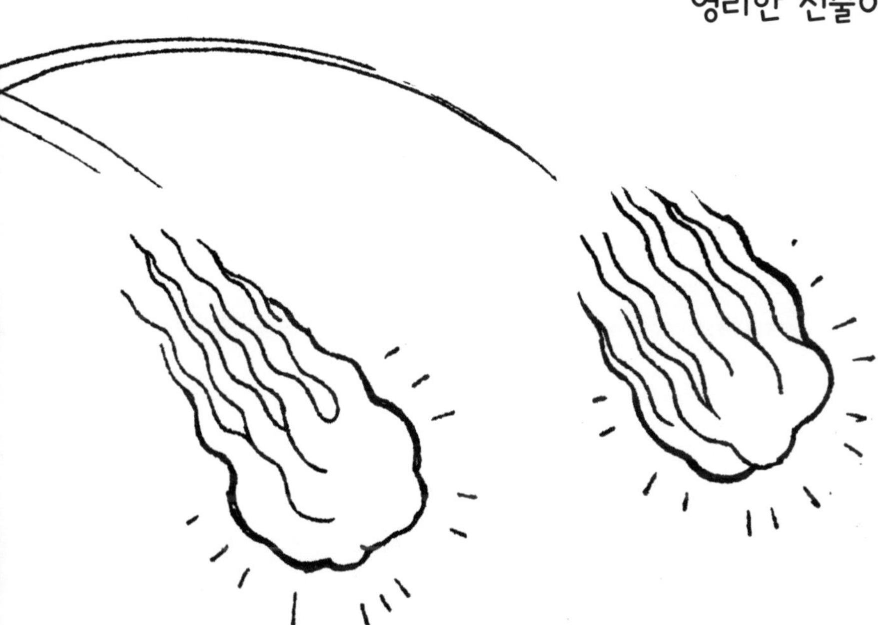

여러분이 네더의 별을
손에 넣고 싶다면
반드시 위더를 물리쳐야 합니다.
행운을 빕니다.

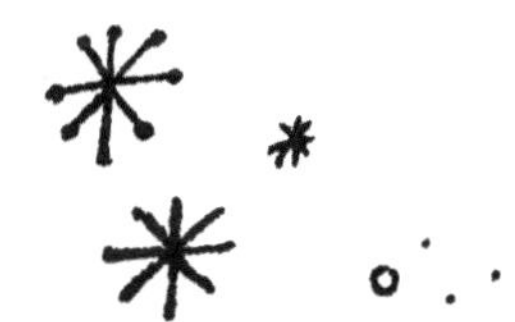

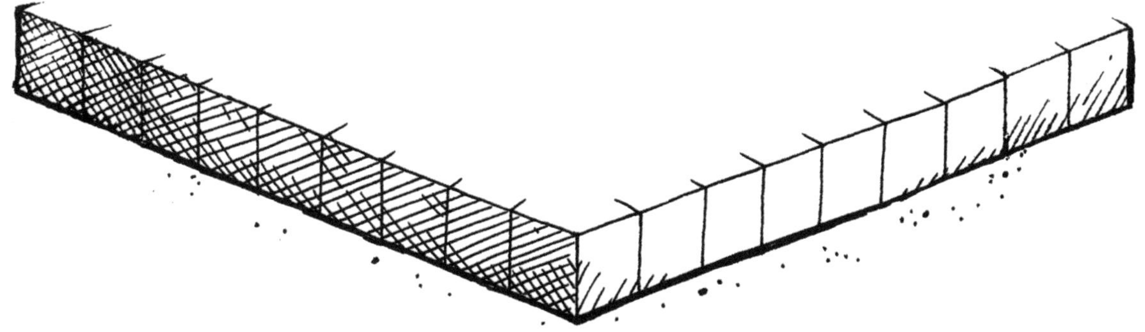

이제 여러분은 유용한 상태 효과를
제공받기 위해 전원 피라미드를
만들 수 있습니다.

크리퍼들은 이 동물이 자기들을 쫓아
다니는 것을 무서워합니다.
어떤 동물일까요?

엔드 차원으로 넘어가서
무시무시한 엔더 드래곤을
상대합니다.
이 장엄한 전투 장면을 그려보세요.

이제 여러분은 엔드 도시를
확장하고 빈 섬에 새로운 기지를
건설할 수 있는 바깥 섬에
도착했습니다.

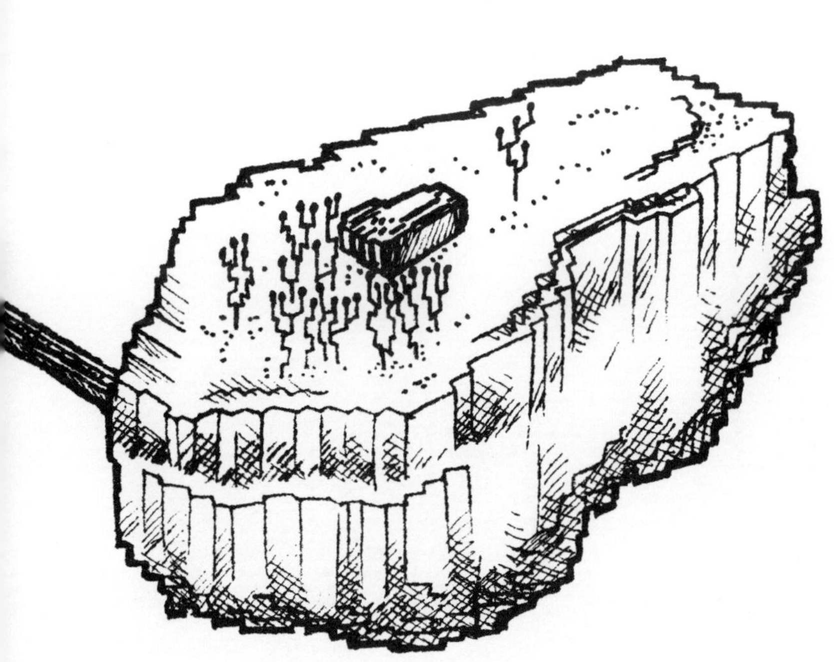

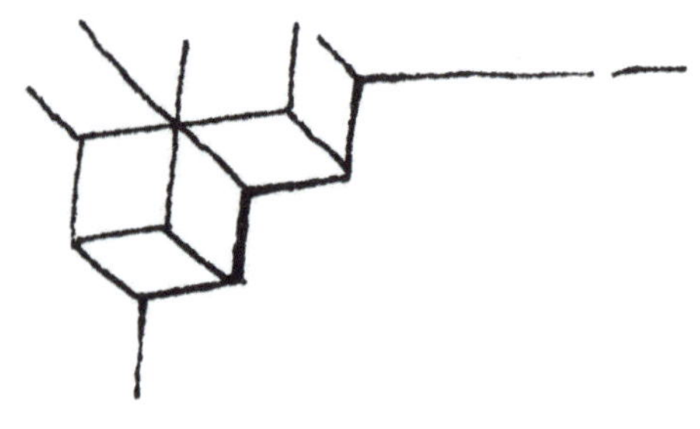
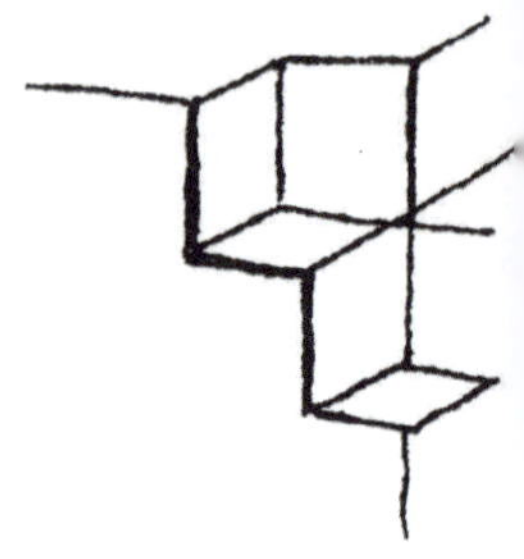

또 하나의 모험이 끝났습니다.

여러분은 기지로

무엇을 가져왔나요?

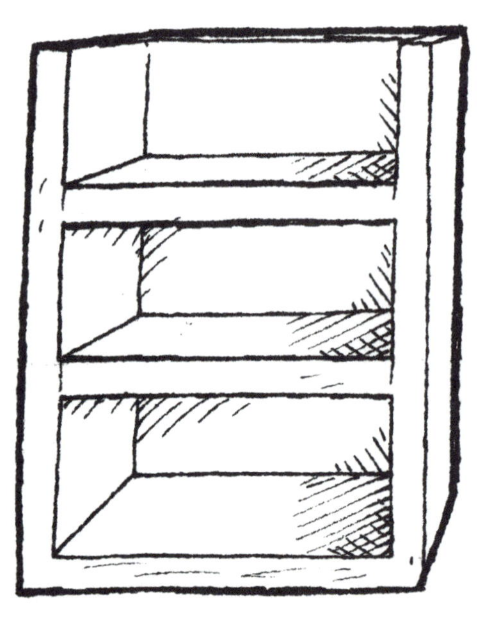
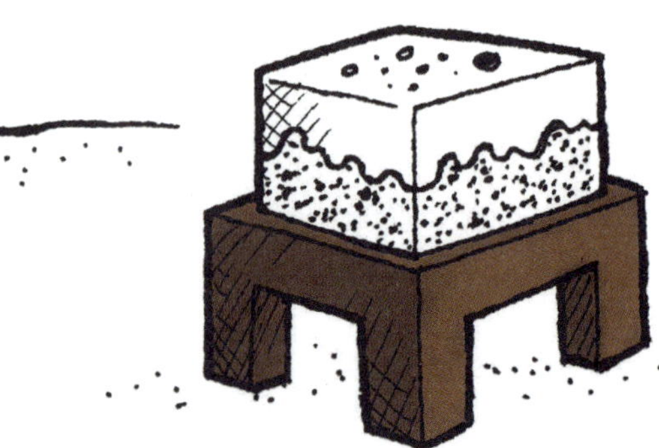